Nanouk et moi

Florence Seyvos

Nanouk et moi

l'école des loisirs
11, rue de Sèvres, Paris 6ᵉ

Du même auteur à *l'école des loisirs*

Collection NEUF

Le jour où j'ai été le chef

ISBN 978-2-211-20690-7

à Arnaud,
à Nathan Nelson

Chapitre un
Le docteur Zblod

Zblod n'est pas son vrai nom. Je ne peux pas dire son vrai nom, parce que c'est confidentiel. Je ne peux pas prendre le risque que quelqu'un cherche son numéro dans l'annuaire, et lui fasse des blagues téléphoniques en pleine nuit.

Tout ce que je peux dire, c'est que son nom commence par un Z.

Thomas, c'est mon vrai prénom. Mais pour le nom de famille, je préfère en inventer un. Je n'ai pas envie, non plus, que quelqu'un appelle mes parents à trois heures du matin pour leur dire n'importe quoi.

Cracov, ce sera mon nom. Thomas Cracov.

La première fois que j'ai vu le docteur Zblod, c'était un mercredi à quatorze heures. Je suis entré dans son bureau avec ma mère, Alice Cracov. Je savais qu'il n'allait pas m'ausculter, ni regarder ma gorge ou mes oreilles. Ce n'est pas ce genre de docteur. Mes parents m'avaient expliqué que c'était un spécialiste des angoisses et des cauchemars, et ça m'intéressait beaucoup. Je me demandais quel genre d'études il avait faites. Existe-t-il des livres qui répertorient les angoisses et les cauchemars les plus affreux?

Maman a fait les présentations, puis elle a dit :
– Thomas, je vais t'attendre à côté.

Nous sommes restés seuls dans le bureau, le docteur Zblod et moi. J'étais assis sur un petit fauteuil bleu, avec des accoudoirs en bois. Le docteur était dans un grand fauteuil en cuir au dossier incliné. J'avais beaucoup de questions à lui poser, mais je n'osais pas. J'ai entendu un oiseau chanter. J'ai entendu les voitures démarrer au feu. J'ai pensé à maman dans la salle d'attente, j'ai imaginé ses mains posées sur sa jupe et, je ne sais pas pourquoi, ça m'a fait de la peine. J'avais envie qu'elle se trouve un bon magazine. Et puis, j'ai pensé qu'il fallait que je dise quelque chose. J'ai inspiré, j'ai ouvert la bouche et j'ai dit :

— Je ne sais pas quoi dire.

Le docteur Zblod a fermé un instant les paupières, avec un très léger sourire. Ce n'était pas un sourire moqueur.

— Ce n'est pas grave.

«Tu peux lui dire tout ce qui te passe par la tête.» C'était la phrase qu'avait prononcée maman, et je lui en voulais beaucoup de l'avoir fait. Je craignais que cette phrase agisse comme une malédiction, et que n'importe quoi, absolument n'importe quoi me passe par la tête. Et sorte de ma bouche. Prout, caca, bite, ta mère en slip, votre bureau puc. Maman, aurais-je voulu crier, ne libère pas la folie en moi! J'étais donc assis, mes mains tenaient fermement les accoudoirs, et j'étais bien décidé à parler le moins possible et à faire passer un examen complet à chaque mot qui voudrait sortir.

— Tes parents disent que tu fais beaucoup de cauchemars, a dit le docteur Zblod.

J'ai réfléchi et j'ai répondu :

– C'est faux.

– Ah, a dit le docteur.

Il n'avait pas l'air surpris, comme s'il s'attendait à cette réponse.

J'ai pensé que, si je désirais qu'il réponde franchement à mes questions sur ses études, il fallait que je lui parle franchement, moi aussi, dès le départ. À voix basse, j'ai demandé :

– Est-ce que les gens qui sont dans la salle d'attente peuvent entendre ce qu'on dit ici ?

– Absolument pas, a-t-il répondu. Même si nous parlions plus fort, personne n'entendrait. La salle d'attente est à l'autre bout du couloir, et cette pièce est très bien insonorisée.

J'ai regardé ses yeux, il m'a semblé qu'il avait des yeux de spécialiste.

– Je ne fais presque jamais de cauchemars la nuit. C'est quand je suis réveillé que j'en fais le plus.

– Oui, a dit le docteur, comme si ça lui paraissait évident.

Son front s'est plissé, il a pincé les lèvres, et il a ajouté :

– Quand on fait un cauchemar la nuit, ensuite, on se réveille, mais quand on fait un cauchemar le jour…

– On ne peut pas se réveiller.

Il a soupiré, j'ai soupiré aussi. L'oiseau dehors s'était remis à chanter. Les voitures ont redémarré au feu.

– Les cauchemars que tu fais le jour, est-ce que ce sont toujours les mêmes ?

Il y en a plusieurs sortes. Mais il y en a un qui revient plus souvent que les autres.

– Est-ce que je peux te demander de quel cauchemar il s'agit, si ce n'est pas indiscret ? a dit le docteur.

C'était un moment important, parce que j'allais prononcer le nom qui compte le plus dans ma vie. J'ai pris une grande inspiration, et j'ai dit :

– C'est un cauchemar au sujet de Nanouk l'Eskimo.

J'ai scruté son visage. Avait-il deviné ce que j'allais dire ? Non, il a d'abord semblé réfléchir, et tout à coup il a eu l'air surpris.

– Je peux te demander quel est ce cauchemar au sujet de Nanouk l'Eskimo ?

J'ai répondu :

– C'est un cauchemar qui est vrai. Parce qu'il
est mort. En vrai.

Le docteur Zblod connaissait Nanouk
l'Eskimo. Il avait vu le film, il y a longtemps.
Mais il ne s'en souvenait pas bien. Alors il m'a
demandé de lui rafraîchir la mémoire.

Chapitre deux
Nanouk l'Eskimo

Nanouk l'Eskimo n'a pas le temps de faire beaucoup de choses. Il n'a même pas le temps d'avoir un travail. Sa vie est entièrement occupée à trouver de quoi manger pour lui et pour sa famille. S'il ne trouve pas, ils meurent tous de faim.

Chaque jour, il se pose la question : qu'allons-nous manger aujourd'hui ? Et demain ? Parfois, il a un peu de répit, quand il a la chance d'attraper un morse, par exemple. Il y a alors à manger pour plusieurs familles, pendant plusieurs jours. C'est un grand moment de joie. Nanouk n'est pas seul quand il chasse le morse, mais c'est souvent lui qui plante le harpon car il est particulièrement fort et habile. Ensuite ses compagnons l'aident à tirer le morse sur la berge, avant que les autres morses ne viennent à sa rescousse et ne réussissent à l'entraîner au large. On ne peut attaquer un morse que s'il est hors de l'eau. Dans l'eau, il est aussi dangereux qu'un tigre. Quand le morse est mort, Nanouk coupe tout de suite de grands morceaux de viande avec son couteau et les mange crus. Parfois il n'a presque rien mangé depuis plusieurs jours. Il sourit avec tout son visage, car la viande lui redonne aussitôt des forces. Il est heureux parce qu'il va rapporter beaucoup de viande à la maison, après le partage.

Nanouk vit dans le nord du Canada, au bord de la baie d'Hudson, dans une région qui s'appelle l'Ungava. C'est un endroit terrible. Une terre désertique, rocailleuse, sans un seul arbre. Rien ne pousse sauf, par endroits, un peu de mousse. En hiver, la neige recouvre tout, et il fait moins quarante degrés. Le pays de Nanouk est presque aussi grand que l'Angleterre, mais ses habitants, les Itivimuits, sont très peu nombreux. Ils ne sont que trois cents. Ce n'est pas exactement un pays, c'est un territoire de chasse. On peut aller plus loin, mais ça ne sert à rien. Ça ne sert qu'à mourir de froid et de faim. J'ai dit au docteur Zblod que j'aimais qu'il n'y ait pas forcément des pays partout, et il a semblé de mon avis.

En langue itivimuit, Nanouk veut dire «l'Ours». Nanouk est fort comme un ours. Il lui arrive de tuer des ours blancs, au corps à corps, avec son harpon.

La femme de Nanouk s'appelle Nyla. Elle sourit tout le temps. Leurs enfants s'appellent Allee, Comock et Cunayou. Ils portent de grandes fourrures à capuche, mais je crois qu'ils n'ont rien en dessous. Ils n'ont pas d'écharpes. Ils n'ont pas non plus de chaussettes sous leurs bottes en peau de phoque. Ils n'attrapent pas de rhumes car il fait trop froid pour les microbes. Le petit Cunayou, qui est un bébé, voyage nu dans une poche de fourrure, dans le dos de Nyla. Souvent son cou, ses épaules et même ses bras dépassent, mais il n'a pas du tout l'air frigorifié. Pendant les longs trajets, Nyla met un bébé chien avec lui dans la capuche, et ils se tiennent chaud tous les deux.

Un jour Nanouk a rencontré un explorateur qui s'appelait Robert Flaherty, et qui avait déjà fait plusieurs expéditions dans le Grand Nord. Il avait même tourné un film sur la vie des Itivimuits. À peine avait-il fini de monter ce film que la pellicule brûla entièrement. Robert Flaherty se dit : ce n'est pas grave, ce film était raté, et maintenant je sais comment il faut faire pour qu'il soit réussi. Et il repartit chez les Itivimuits. Il cherchait un Eskimo qui serait le personnage principal de son film et dont il filmerait, chaque jour, la façon de vivre. Ce fut Nanouk.

Ils devinrent très amis. En plus d'une caméra, Robert Flaherty avait apporté un projecteur et de quoi développer la pellicule. Ainsi Nanouk, sa famille et ses compagnons pouvaient voir ce qu'il filmait. Cela donna beaucoup d'idées à Nanouk, pour que le film soit encore plus réussi.

Ils travaillèrent tous les deux pendant un an. Ils filmèrent Nanouk en train de pêcher des poissons au milieu de la banquise, en train de pêcher le phoque, d'attraper un morse gigantesque, en train de construire un igloo, de fabriquer un kayak, Nanouk avec son traîneau et ses chiens. Tout cela, on le voit dans le film. On ne voit pas Nanouk combattre un ours blanc, mais on peut très bien l'imaginer.

Quand, au bout d'un an, Robert Flaherty se prépara à repartir, Nanouk fut triste. Il lui dit : «Reste un an de plus, il y a encore tellement de choses que nous pouvons filmer.» Je crois qu'il aimait le travail bien fait, et que, pour lui, le film n'était pas fini. Je crois aussi qu'il n'avait pas envie de se séparer de son ami. Mais Flaherty ne pouvait pas rester, alors ils se dirent au revoir.

Ils ne se revirent jamais. Deux ans après être rentré chez lui, Robert Flaherty apprit que Nanouk était mort.

— Comment est-il mort? a demandé le docteur Zblod.

— Il est mort de faim. Il était parti chasser le cerf, et il est mort de faim.

— Comment l'as-tu su?

— C'est dit au tout début du film. C'est écrit.

— Ça fait un choc, a dit le docteur Zblod.

— Oui, ai-je répondu. Pourtant, on ne connaît pas Nanouk. Pas encore. Mais ça rend très triste.

Il me semble que j'aurais dû être encore plus triste après avoir vu le film. Mais non, le moment où j'ai été le plus triste, c'est quand j'ai lu cette phrase.

Je me souvenais très bien du jour et de l'instant où j'avais lu cette phrase. Et aussi de comment j'étais assis, en tailleur, à un mètre de la télévision. J'étais seul à la maison, cet après-midi-là. Le matin, mon père et moi étions allés au centre commercial. Mon père voulait me faire un cadeau, il m'avait dit qu'il m'achèterait un film, celui que je voudrais. Il m'avait montré où était le rayon enfants, comme si j'avais encore six ans. Mais je venais de voir, sur un présentoir, un film avec la photo d'un homme dans un kayak. C'était une photo étrange, qui faisait un peu peur. Le visage de l'homme était très sombre, presque noir, mais ses paupières inférieures avaient attrapé un éclat de lumière. Elles ressemblaient à deux amandes blanches et brillantes, on aurait dit deux yeux sans iris. Sur les genoux de l'homme était assis un enfant très petit. Sur le haut de la photo, il était écrit : Nanouk l'Eskimo.

Je n'avais jamais entendu parler de ce film, mais j'avais lu des livres sur les Eskimos, des récits d'expéditions polaires et aussi des histoires de trappeurs dans le Grand Nord. J'avais pris le film et l'avais mis dans les mains de mon père en disant : « Celui-là. »

— Celui-là ? Tu es sûr ?

— Oui, je suis sûr.

J'avais hâte de me retrouver seul pour regarder ce film. Je sentais qu'il allait compter pour moi. Mes parents étaient sortis juste après le déjeuner. Il y avait du soleil dans le salon, et j'avais tiré le rideau pour ne pas avoir de reflet sur l'écran. Je me souviens que j'étais excité, fébrile. Mon père m'avait dit que c'était un film muet, mais j'ai quand même mis le son très fort. Le film a commencé, il y a eu ce texte en lettres blanches sur fond noir. Je me souviens du choc dans ma poitrine, comme si un poing dans un gant de boxe m'avait frappé le cœur. Je me rappelle aussi avoir pensé : j'aurais préféré ne pas le savoir.

J'ai dit au docteur Zblod :

— C'est drôle, ça n'a duré que deux secondes, et c'est un moment qui ne passe pas.

Il a fait oui de la tête. Je crois qu'il était lui-même en train de digérer le choc.

J'ai ajouté :

— Je me fais du souci pour la famille de Nanouk.

— Je suis certain que ses compagnons ont pris soin de Nyla et des enfants, a dit le docteur. Ils ne les ont sûrement pas abandonnés.

J'ai pensé qu'il avait obligatoirement raison.

Le docteur Zblod m'a demandé si ça me convenait de revenir discuter avec lui samedi. J'ai répondu oui. Il m'a aussi proposé de lui apporter une photo de Nanouk, si j'en avais une.

Samedi me paraissait loin. C'est toujours énervant, quand on a commencé une bonne conversation, de devoir s'arrêter.

Chapitre trois
Un tout petit feu dans l'igloo

J'avais essayé de parler un peu de Nanouk à mes parents, mais j'avais dû arrêter très vite. Quand j'avais dit à mon père, Paul Cracov, que j'étais triste que Nanouk soit mort, il m'avait répondu gentiment : « Mon lapin, c'était en 1920. Tu ne peux pas être triste pour quelqu'un qui est mort il y a un siècle. Tu comprends, même s'il avait vécu extrêmement vieux, même s'il détenait le record du monde de longévité, il serait mort depuis des années. Bien avant ta naissance. »

Il trouvait que c'était un argument anti tristesse imparable. Il ne comprenait pas que pour moi ça ne changeait rien. 1920 et aujourd'hui, c'était pareil. Quand je pensais à Nanouk parti chasser le cerf, j'avais l'impression que c'était maintenant, que c'était tout le temps. Tous les jours de la vie. J'avais découvert que le temps n'existe pas.

La phrase de mon père, qui me rappelait que le temps existe un peu quand même, avait eu un résultat contraire à celui qu'il souhaitait : je m'étais demandé si les enfants de Nanouk étaient encore en vie. Il y avait peu de chances, mais ce n'était pas impossible. J'essayai d'imaginer Cunayou, le bébé, devenu un très vieil homme, tout ridé, aux gestes ralentis. Peut-être était-il mort l'an dernier, et je ne l'avais pas su. Peut-être était-ce arrivé pendant les grandes vacances. Peut-être étais-je en train de plonger dans la mer ou de manger une glace au moment de sa mort. Merci papa, pour ces pensées qui ne m'étaient pas encore venues. Quelques cauchemars éveillés de plus, j'avais bien besoin de ça…

Avec maman, c'était différent, mais ce n'était pas tellement mieux. Quand je lui montrais des extraits du film, elle ne supportait pas de voir les épaules et les bras nus de Cunayou. Ses yeux s'agrandissaient d'effroi, elle plaquait la main sur sa bouche, comme pour s'empêcher de crier, et ne l'enlevait que pour dire : « Et là, il fait combien, tu crois ? »

Elle trouvait qu'il ne faisait pas assez chaud dans l'igloo.

– Il fait combien, dans l'igloo, déjà ?

– Il fait -1 °C, maximum. Si la température monte au-dessus de zéro, l'igloo fond.

Un peu sadique, j'ajoutais :

– Mais à l'extérieur, la nuit, en plein blizzard, la température descend en dessous de 50 °C.

Ces simples détails lui faisaient tellement d'effet que je ne pouvais pas lui parler de choses plus graves.

Et dans les moments où je ne pensais pas aux choses graves, son inquiétude me gâchait un peu ma joie. Ma joie, par exemple, chaque fois que je revoyais le passage où Nanouk construit un igloo. Il commence par lécher la lame de son grand couteau en ivoire de morse, pour qu'elle se couvre de glace et fende plus facilement la neige. Il ne faut qu'un instant à sa salive pour se changer en glace. Chaque fois, j'ai peur que sa langue reste collée à la lame, mais non, il sait comment faire.

La neige est dure et compacte. Nanouk en taille de grands blocs qu'il assemble comme des briques. Avec sa lame, il casse la neige sur les bords pour en faire du ciment. Nyla et lui bouchent soigneusement les interstices. En moins d'une heure, l'igloo est terminé, mais il manque encore une petite chose, une petite chose très importante. Nanouk s'éloigne en direction de la banquise avec son harpon. Quand il a trouvé de la glace, il en taille un bloc. Cela demande beaucoup de force et d'habileté pour tailler un bloc régulier. Puis Nanouk revient à l'igloo et découpe une fenêtre exactement de la taille du bloc de glace. Il remplace le bloc de neige par le bloc de glace, et voilà, il fait jour dans l'igloo. Le détail que je préfère, c'est ce que Nanouk fait du bloc de neige qu'il a ôté : il le pose à la perpendiculaire de la fenêtre pour réfléchir la lumière. À l'intérieur de l'igloo, Nyla est déjà en train de polir la fenêtre de glace pour la rendre plus transparente. Bientôt elle va allumer le feu, un tout petit feu, pour ne pas trop faire monter la température. Et puis elle va faire fondre de la neige dans un petit bac en pierre. Il n'y a pas de bois pour le feu, puisqu'il n'y a pas d'arbre, seulement de la mousse ramassée sur la rocaille avant l'hiver, et de l'huile de phoque comme combustible. Quand ils auront pris le repas du soir – un phoque de petite taille est tout ce qui leur reste, il faudra que Nanouk retourne très vite à la chasse –, ils raconteront peut-être des histoires et puis ils se déshabilleront – oui, maman, ils se déshabilleront – et se coucheront ensemble sous de grandes fourrures.

Les chiens de traîneau dorment dehors. Nanouk a construit un tout petit igloo pour les chiots, mais ce n'est pas seulement du froid qu'il veut les protéger. Leurs aînés sont si affamés qu'ils profiteraient de la nuit pour les manger.

Le vendredi soir, veille de mon deuxième rendez-vous avec le docteur Zblod, j'ai dit à maman que je n'avais pas besoin qu'elle m'accompagne. J'avais parfaitement repéré le trajet.

En fait, surtout, je trouvais que c'étaient mes affaires. J'avais l'impression d'avoir un métier. Mon métier était de parler de Nanouk avec le docteur Zblod. Quand quelqu'un part à son travail, le matin, ses parents ne l'accompagnent pas.

Dans l'autobus, j'ai regardé discrètement la photo que j'avais glissée dans la poche de mon blouson. On y voyait Nanouk, debout, son harpon à la main. J'avais découpé cette photo dans un numéro de *Science et Vie*, que j'avais acheté à cause d'un reportage sur le pôle Nord. L'autre photo que je possédais, c'était celle du boîtier du film, et le film, je le gardais sous mon lit.

— Bonjour, m'a dit le docteur Zblod en me serrant la main.

Il m'a directement fait entrer dans son bureau. J'avais le trac, mais j'étais content de reconnaître son fauteuil et le mien, et le bruit des voitures qui démarraient au feu. J'ai sorti la photo de ma poche, et la lui ai donnée.

— Merci, a-t-il dit.

Il l'a regardée longuement.

— Il a l'air sérieux.

— C'est peut-être Robert Flaherty qui a pris cette photo, ai-je dit. Au début du film aussi, Nanouk a l'air sérieux. Flaherty filme longuement son visage. Et Nanouk est mal à l'aise, il n'arrête pas de baisser les yeux. Il a souvent dit à son ami qu'il ne comprenait pas pourquoi il était le héros du film.

— Ça t'ennuie, si je t'emprunte quelque temps cette photo ? Ça me ferait plaisir de la garder.

— Ça ne m'ennuie pas du tout.

— Merci, a dit le docteur Zblod. Je vais la poser là.

Il s'est levé et s'est approché d'une étagère, près de la fenêtre. Je voyais où il l'avait posée, mais je ne pouvais plus voir la photo elle-même. Je préférais comme ça. Le docteur s'est assis dans son fauteuil et m'a regardé. J'ai pensé à un détail qui me tracassait depuis la dernière fois.

— Je vous ai dit quelque chose de pas tout à fait exact. Je vous ai dit qu'il était parti chasser le cerf, mais il n'y a pas de cerfs, dans cette région, ce sont des rennes. On les appelle aussi des caribous. C'est le traducteur du film qui a écrit le mot cerf. Je pense que ce n'était pas un spécialiste.

Le docteur Zblod a semblé en convenir.

Il y a eu un silence, puis il a toussé, l'air gêné, comme on tousse à un enterrement, et il m'a dit :

— Tu parles du moment où Nanouk est mort...

— Oui.

— Tu te souviens de la phrase exacte qu'on peut lire au début du film ?

— C'est une phrase de Robert Flaherty. Il dit : «Moins de deux ans plus tard, j'ai appris que Nanouk, en allant chasser le cerf à l'intérieur des terres, était mort de faim.»

— Ton cauchemar éveillé, est-ce qu'il commence toujours de la même façon ?

— Oui. Je suis en train de faire mes devoirs, par exemple, ou en train de dessiner dans ma chambre. Ou de regarder la télévision. Et brusquement, je me souviens que Nanouk est mort. Ça me fait un petit coup dans la poitrine. C'est comme si j'avais oublié qu'il était mort, et tout à coup ça me revient — pourtant, je n'oublie jamais qu'il est mort. Et surtout, c'est comme s'il était en train de mourir au moment où j'y pense. J'ai l'impression que je suis hypnotisé. Je suis comme à l'intérieur d'une bulle. Si je suis dans ma chambre, je ne vois plus ma chambre. Je vois de la neige, un désert blanc dans lequel le vent a formé des montagnes. Nanouk est adossé à un bloc de neige. Il est en train de mourir. Je vois son visage entouré de sa capuche. Il a les bras le long du corps. Je vois ses moufles. Je vois ses jambes dans sa culotte en peau d'ours. Je vois ses bottes. Il a les yeux ouverts, mais il ne bouge plus du tout.

Pendant que je parlais, j'ai levé les yeux, et j'ai vu le visage du docteur Zblod. Son regard était si attentif, son visage tout entier reflétait une telle tristesse que j'ai eu l'impression qu'il voyait mon cauchemar en même temps que moi. Mon cauchemar vrai. Je ne savais pas que c'était possible, que quelqu'un d'autre puisse voir ce que je voyais, moi. J'ai respiré. C'était comme si un poids énorme était en train de me quitter. Et j'ai dit :

– Je ne sais pas quel effet ça fait de mourir.

Le docteur Zblod a souri et a répondu :

– Je ne le sais pas non plus.

J'ai trouvé que c'était une très bonne blague triste. J'ai dit au docteur que depuis quelques jours, depuis la première fois où nous nous étions parlé, mon cauchemar éveillé ne m'avait plus pris par surprise. Pour qu'il revienne, il avait fallu que je l'appelle.

– Aujourd'hui, c'est moi qui t'ai demandé de le faire revenir. Mais y a-t-il eu d'autres fois où tu l'as fait revenir ?

– Oui, chaque soir, avant de m'endormir.

– Est-ce que tu sais pourquoi tu l'as appelé ?

J'ai bien réfléchi, et j'ai répondu :

– Pour Nanouk. Sinon, j'ai peur que personne ne pense à lui. J'ai peur qu'il soit abandonné.

Le docteur Zblod et moi avons cherché ce qui avait pu arriver à Nanouk. Il s'était probablement enfoncé trop loin à l'intérieur des terres, à la poursuite d'un troupeau de rennes qu'il n'avait pas pu rattraper. Mais était-il parti seul? Était-il mort de froid avant de mourir de faim? Qu'était-il advenu des chiens? Avaient-ils mangé leurs lanières et étaient-ils retournés à l'état sauvage? S'étaient-ils dévorés entre eux? Comment Nyla avait-elle appris que son mari était mort? Il était impossible de le savoir.

– Robert Flaherty a dû se poser les mêmes questions, a dit le docteur Zblod.

J'ai pensé à la tristesse de Robert Flaherty. C'est étrange, pourquoi n'y avais-je pas pensé plus tôt? Comme il avait dû être bouleversé. Comme il avait dû avoir du chagrin. Nanouk était son ami. Ils avaient passé des mois et des mois ensemble. Et ensuite, pendant qu'il montait les images du film, il avait eu son visage sans cesse sous les yeux. J'ai imaginé Robert Flaherty se tournant et se retournant des nuits entières dans son lit, se demandant comment son ami était mort. Pensant à Nyla, aux enfants.

Moi, je ne pouvais pas penser à Nyla et aux enfants. C'étaient des pensées que je tenais à l'écart de ma tête, parce que c'était une tristesse trop violente. Ma tête se serait remplie de larmes qui n'en auraient jamais fini de couler.

Mais en tant que grande personne, et en tant qu'ami, Robert Flaherty avait dû penser à tout.

Il était sûrement allé au bout de la tristesse. Et il avait dû se sentir terriblement impuissant.

Pauvre Robert Flaherty.

Chapitre quatre
Les chiens de Nanouk

Souvent, la nuit, je pense aux chiens de Nanouk.

Les chiens de Nanouk font peur. Les chiens adultes ne ressemblent en rien au bébé husky, qui tient compagnie à Cunayou dans la capuche en fourrure. Ce sont presque des loups.

Nanouk met toujours le traîneau au sommet de l'igloo pendant la nuit. Sinon ils dévorent les lanières. Ils ont tout le temps faim.

Quand Nanouk leur jette des morceaux de viande, il y a de la haine dans leurs yeux. Ils aboient sauvagement, ils montrent les crocs. Ils sont prêts à s'entretuer pour un minuscule petit morceau. On dirait qu'ils n'aiment personne, pas même celui qui les nourrit. Ils ont tellement faim qu'ils pourraient lui déchiqueter le bras, s'il s'approchait.

Leurs crocs font peur. Ils sont longs et pointus. Les mâchoires ont l'air d'être en acier. On sent qu'elles peuvent broyer n'importe quoi, en un éclair.

Parfois les chiens se battent pour la place de chef. Le chef de meute se fait attaquer par plusieurs chiens en même temps, Nanouk a le plus grand mal à les séparer. Ensuite, il faut faire reprendre sa place à chacun et démêler les interminables lanières. C'est une situation dangereuse parce qu'elle fait perdre beaucoup de temps. L'hiver, les journées sont très courtes. Et un jour suffit à peine pour parcourir trois kilomètres. Car d'énormes morceaux de banquise errante, poussés par des vents furieux, sont venus se souder à la berge. Et sous la violence du choc se sont formées des montagnes de glace et de neige presque impraticables.

Quand le traîneau est enfin prêt, il reste si peu de temps pour relever les pièges à renards, partir sur la banquise, dénicher un phoque sous la glace, le repérer grâce au petit trou par lequel il respire, parvenir à l'attraper sans qu'il se sauve, puis, très vite, revenir sur la terre ferme et trouver un endroit sûr pour construire un nouvel igloo, car celui de la nuit précédente est déjà trop loin.

Les chiens me font peur, mais je les aime quand ils attendent, la nuit, dans le blizzard, près de l'igloo. Les hommes, les femmes, les enfants sont à l'abri, les chiots aussi, et eux sont dehors. Ils se tiennent assis, les pattes avant dressées, comme des sentinelles, comme des statues. L'un à côté de l'autre, mais pas assez proches pour se tenir chaud. Ils regardent droit devant eux, ils plissent les yeux d'une façon presque humaine. On dirait qu'ils attendent le sommeil, comme si le sommeil ne dépendait absolument pas d'eux. Comme s'il était un dieu capricieux, qui vient toucher les êtres quand ça lui plaît. Ils doivent juste l'attendre et se soumettre.

Peu à peu, le vent recouvre entièrement leur pelage de neige. Quand ils sont devenus tout blancs, ils s'ébrouent et reprennent leur attente.

Parfois, quand le vent souffle vraiment très fort, ils hurlent à la mort. Ça les réchauffe peut-être.

Et tout à coup, ils se couchent en rond dans la neige et s'endorment.

Chapitre cinq
Le goût des bottes en peau de phoque, le matin

J'aime le bureau du docteur Zblod. Les étagères sont remplies de statuettes que je n'ai pas le temps de regarder et de livres dont je n'ai pas le temps de lire les titres, mais auxquels je suis habitué. Et je sais que la photo de Nanouk est posée là-bas, près de la fenêtre. Contre le mur, il y a un divan qui semble très confortable, recouvert d'une sorte de tapis, peut-être un tapis persan — je n'y connais rien en tapis — dans des tons beige et rouge avec un motif d'oiseaux. J'aime le fauteuil dans lequel je m'assois. J'aime le regard du docteur Zblod, et son visage ovale, presque rond. J'aime la façon dont il me pose des questions, presque en me demandant si je suis d'accord pour y répondre. Et en même temps, il ressemble à un détective. Tout l'intéresse, il fronce les sourcils, s'étonne, réfléchit en se grattant le front, me demande des précisions. Il ne trouve jamais que quelque chose est ridicule.

Alors j'ai pu lui parler d'un détail qui me mettait mal à l'aise.

— Il y a quelque chose qui me tracasse, ai-je dit, au sujet de Nyla. Au sujet de Nanouk et Nyla.

Le docteur Zblod a haussé les sourcils, comme s'il me disait très vite et sans ouvrir la bouche : « Ah bon ? Au sujet de Nyla et Nanouk ? Ça m'intrigue, de quoi s'agit-il ?... »

— Tous les matins, quand Nyla se réveille, la première chose qu'elle fait, après avoir enfilé son manteau, c'est mordre les bottes de Nanouk pour les assouplir.

— Ah oui ? a dit le docteur Zblod en souriant.

— La peau de phoque durcit pendant la nuit. Pour pouvoir enfiler les bottes, il faut les assouplir, en les mordant, en les mâchant.

— Hun hun, a fait le docteur Zblod et ses yeux riaient franchement. Elle mord les bottes de son mari.

– Oui.

– Ça te tracasse.

– Je trouve que c'est impoli de demander à sa femme de mâcher ses bottes. En même temps, je ne suis pas sûr que ce soit impoli de la part de Nanouk. Je me pose la question.

– C'est une bonne question, a dit le docteur Zblod. Sais-tu ce que fait Nanouk pendant ce temps ?

– Dans le film, on voit qu'il se réveille, quelques instants après Nyla. Et il met son manteau. Ensuite les bottes sont prêtes. Et il les enfile immédiatement. C'est beau, parce qu'on voit ses jambes et ses pieds. Ses pieds sont tout noirs par endroits. Sûrement parce qu'il ne met jamais de chaussettes.

– Et dans le film, on voit Nyla mâcher les bottes ?

Oui. On voit que c'est dur, qu'elle y met de la force. Elle a l'air concentré.

– Donc, a dit le docteur Zblod, la question est la suivante : est-ce indélicat vis-à-vis de Nyla, que son mari la laisse mordre ses bottes, chaque matin – ou lui demande de mordre ses bottes, chaque matin. Est-ce une chose, disons le mot, dégradante pour elle ?

– Je ne crois pas, ai-je dit, après un silence. Je crois que c'est une répartition des tâches. C'est un peu comme si elle préparait le petit déjeuner.

– Dans une société comme la leur, les tâches entre hommes et femmes sont très précisément réparties, a ajouté le docteur Zblod.

– Oui. En fait, c'est étrange, je pense que c'est un des passages du film que je préfère, même si je suis un tout petit peu gêné quand je le regarde. Mais je n'aimerais pas que quelqu'un regarde en même temps que moi, et en pense quelque chose.

– Quelqu'un qui se moquerait, tu veux dire ? Quelqu'un qui penserait que c'est dégradant pour Nyla ?

– Oui. J'aurais envie de gifler quelqu'un qui penserait cela.

Le docteur a hoché la tête en silence, l'air de se demander si ça mériterait vraiment une gifle. Puis il a regardé le plafond, ce qu'il fait souvent quand il réfléchit, et a dit :

– C'est peut-être audacieux de ma part, mais puisque, d'après ta description, Nyla est très concentrée quand elle mâche les bottes, je me demande si on ne peut pas penser que, tout comme Nanouk tient à tuer un phoque pour apporter de la nourriture à sa famille, Nyla tient à bien préparer les bottes de son mari. Ce sont des choses importantes. Ils y mettent du cœur.

– Oui, ai-je répondu. Ils sont ensemble dans la vie. Ils y mettent du cœur.

Il y a eu un silence un peu long, mais bizarrement confortable.

– Je me demande, a dit tout à coup le docteur Zblod, quel effet ça fait de mâcher des bottes en peau de phoque, le matin, au réveil. Plusieurs paires de bottes, parce qu'il y a les siennes, aussi, et peut-être celles des enfants... D'après ce que tu me dis, ça semble coriace. Oui, sûrement, ça l'est, de la peau de phoque bien dure et glacée. Ce doit être agréable quand ça commence enfin à s'assouplir. Ça doit donner faim pour le petit déjeuner. Ensuite on est prêt à manger un bon morceau de phoque...

43

Nous nous sommes regardés, et nous avons fait marcher nos mâchoires, en essayant de bien imaginer la texture, le goût et le froid des bottes en peau de phoque. Je ne sais pas pourquoi, c'est le moment de la semaine où je me suis senti le plus heureux.

Chapitre six
Le clandestin du vestiaire

Samedi dernier, juste avant que nous nous disions au revoir, le docteur Zblod m'a demandé, pour la fois suivante, d'essayer de me rappeler mon souvenir le plus triste.

J'ai pensé que je n'en avais pas.

J'ai voulu faire une liste de souvenirs tristes, mais je n'y croyais pas vraiment.

Ma première nuit en colonie de vacances, par exemple. Mes parents me manquaient. Ma mère me manquait. À l'idée de passer un mois sans la voir, j'ai pleuré, très longtemps, en essayant de ne pas faire de bruit, dans le silence du dortoir. Mon lit était contre le mur. Je me suis réfugié contre la cloison et j'ai pleuré avec un chagrin comme je n'en avais jamais connu. Un chagrin dont je ne voyais pas le bout. Je me rappelle avoir pensé que j'étais trop jeune et trop seul pour affronter un tel chagrin. Il était au-dessus de mes forces. Peut-être est-ce la définition du chagrin.

Mais avec le temps, ce souvenir m'apparaissait davantage comme un souvenir d'enfance que comme un souvenir triste. Et la meilleure preuve, c'était que j'avais accepté de repartir un mois en colonie l'année suivante.

Il y avait l'histoire de mon Indien en plastique, dont je ne me séparais jamais, et qui était comme mon meilleur ami. Nous l'avions oublié sur l'autoroute. Je me souviens encore de ma stupéfaction, quand j'ai compris que mes parents n'allaient pas faire demi-tour pour le récupérer. Mais c'était plutôt un souvenir de colère. Car en plus, c'était leur faute. S'ils ne m'avaient pas envoyé me laver les mains en vitesse avant de reprendre la route, jamais je n'aurais oublié mon Indien. Je me suis longtemps demandé s'il m'avait attendu, et s'il avait fini par faire sa vie là, dans l'herbe, entre trois arbustes desséchés, une pierre plate et une poubelle, ou si un enfant l'avait trouvé et emporté chez lui.

Mais je ne pouvais pas dire que c'était mon souvenir le plus triste.

Et bien sûr, il y avait Nanouk, à qui je pensais tous les jours, mais cela, le docteur Zblod le savait déjà.

Le dimanche a passé, je n'avais rien trouvé. Le lundi après-midi, nous avions piscine. Il y avait un nouveau dans la classe, qui s'appelait Romain, et à qui personne ne parlait. Il faisait un peu peur. Il était plus grand que nous, un peu trop gros, avec les cheveux un peu trop courts. Il avait une grosse voix, pas du tout la voix d'un garçon qui a mué, mais une grosse voix d'enfant, qui me rappelait celle de ma mère à l'époque où elle me lisait l'histoire de Boucles d'or et qu'elle s'appliquait pour faire la voix du gros ours. La grosse voix de Romain, nous ne l'entendions presque jamais. Seulement quand Mme Laskine faisait l'appel. Une fois, nous l'avions entendue plus longuement lorsqu'elle l'avait interrogé sur les hommes préhistoriques : Romain savait plus de

choses qu'il n'y en avait dans le livre et il avait
été félicité. Le reste du temps, il ne s'était
exprimé que par bruits. Il toussait d'une fausse
toux. Se raclait bruyamment la gorge. Poussait
des sortes de grognements, ou des espèces de
«han!», quand quelque chose le faisait rire. Il
était toujours seul à une table en classe, et à la
cantine, la place à côté de la sienne était toujours
vide. J'avais peur de lui, moi aussi, mais bizarrement j'avais très envie d'aller lui parler. Je ne
comprenais pas bien pourquoi j'avais autant
envie de lui parler alors qu'il me faisait peur. Et
je me disais aussi que, si je parlais à ce type, je
n'aurais rapidement plus aucun ami dans la classe.
Mais le destin a fait que ce lundi après-midi, à la
piscine, comme nous devions partager à deux les
cabines et que personne ne voulait de lui, nous
nous sommes retrouvés ensemble. Enfermés dans
90 centimètres carrés, et obligés de nous désha-
biller. Nous l'avons fait en nous tournant le dos.
Il s'est raclé plusieurs fois la gorge, et j'ai compris que c'était un tic. Quand nous nous sommes
retrouvés en maillot de bain, j'ai essayé de ne pas

le regarder. Il avait vraiment un gros ventre. Je m'apprêtais à ouvrir la porte de la cabine quand il a posé sa main sur la mienne pour m'en empêcher, et m'a murmuré, de sa grosse voix :

— Je n'y vais pas.

Puis il a ajouté :

— Tu vas sortir, et moi, je vais rester là. Quarante élèves en maillot de bain, un de plus un de moins, personne ne s'en apercevra. Je déteste l'eau.

Nous nous sommes regardés dans les yeux. Les siens étaient presque ronds, d'un bleu-vert transparent. Son regard était calme et droit. Il me faisait confiance. J'ai fait oui de la tête, je suis sorti discrètement et me suis mêlé aux autres. Pour la piscine, nous étions mélangés avec les CE2 de M. Boulat, et c'est vrai que ça faisait beaucoup. Tous en maillot de bain, nous ressemblions à un troupeau, et j'ai pensé que c'était aussi pour ça que Romain ne voulait pas venir, pas seulement parce qu'il avait horreur de l'eau, pas seulement parce qu'il craignait que les autres se moquent de lui. Pendant tout le cours, pendant que je nageais, faisais des battements de pieds idiots avec la planche, que j'attendais mon tour au plongeoir, je pensais à Romain dans la cabine. Je me demandais s'il se sentait seul. Si cette heure lui paraissait interminable. S'il avait apporté un livre ou s'il avait trouvé des choses importantes ou intéressantes auxquelles réfléchir pour ne pas s'ennuyer.

Quand nous sommes remontés des douches, il était en train de se rhabiller. Il a pris une gourde dans son sac et s'est versé un peu d'eau sur la tête. J'ai admiré son perfectionnisme.

Nous avons fait le chemin du retour en marchant côte à côte. Nous n'avons pas beaucoup parlé. Il m'a dit qu'il allait essayer de se faire faire une dispense, mais il craignait que son père ne soit pas d'accord. À son ancienne école, il n'avait jamais eu ce problème, parce qu'ils n'allaient jamais à la piscine. L'autre solution, si son père refusait la dispense, était de continuer de se cacher dans le vestiaire.

— Il faut que tu tiennes deux mois, lui ai-je dit. En janvier ce sera fini.

– C'est peut-être jouable.

J'ai vu que les autres nous observaient du coin de l'œil. Ils n'avaient pas l'air de se moquer. Ils avaient même l'air impressionné. Ils se demandaient de quoi nous parlions. Je crois bien qu'ils m'enviaient.

À quatre heures et demie, nous avons encore fait une partie du chemin ensemble, Romain et moi. Nous n'habitions pas loin l'un de l'autre. Je lui ai dit :

– Tu pourrais venir chez moi, un de ces jours.

– D'accord, a-t-il répondu, il faut juste que je demande à mes parents.

Je me suis demandé si j'allais lui parler de Nanouk dès la première fois. Peut-être pas, quand même. Nanouk était mon trésor, le seul que j'avais.

Chapitre sept
La folie en moi

Mon souvenir le plus triste est arrivé mercredi soir. Un peu avant sept heures et demie du soir, le téléphone a sonné, j'ai entendu maman répondre, et puis je l'ai entendue rire, d'un rire étrange qui ne s'arrêtait pas. Je suis sorti de ma chambre et je l'ai trouvée assise par terre, elle ne riait pas, elle pleurait.

Je me suis assis près d'elle, je l'ai entourée de mes bras, et j'ai caressé ses cheveux en répétant : « Ma petite maman, ma petite maman… »

C'est à peine si elle a réussi, entre ses sanglots, à me dire ce qui s'était passé. Frédérique, son amie d'enfance, qu'elle n'avait pas vue depuis très longtemps, depuis presque quinze ans, était morte dans un accident de voiture.

Je ne la connaissais pas. Maman m'avait parlé d'elle parfois. Je savais qu'elles s'étaient connues en troisième et qu'elles avaient été inséparables jusqu'au bac. Ensemble, elles passaient leur temps à se sauver : elles séchaient les cours, quittaient le dortoir de leur pensionnat en pleine nuit pour aller bavarder sur le toit, et pendant les vacances, sortaient en cachette de chez leurs parents et ne rentraient qu'au petit matin. (Maman commençait toujours à raconter ces souvenirs avec enthousiasme, mais tout en racontant elle se disait que ce n'était vraiment pas un exemple à me donner, alors, peu à peu, sa voix se faisait sévère, et elle terminait en disant que Frédérique avait raté son bac.)

Ensuite elles avaient rencontré des garçons, elles étaient tombées amoureuses et s'étaient perdues de vue. Frédérique était partie très loin, elle avait eu deux enfants, qui étaient plus âgés que moi. Maman et elle s'étaient envoyé des photos.

Nous sommes restés longtemps assis par terre. Je n'osais pas bouger. Maman me paraissait toute petite et frêle. Au bout d'un moment, elle m'a serré fort et a dit: «Elle ne t'a pas connu...» J'étais affreusement triste, j'aurais voulu pleurer, mais les larmes ne venaient pas, et je ne comprenais pas pourquoi. Comment pouvais-je ne pas pleurer alors que ma mère était si malheureuse?

Papa est arrivé, maman lui a tout raconté et il l'a prise dans ses bras. Je n'osais pas leur parler, je ne me sentais pas bien, mes jambes tremblaient. Je suis allé à la cuisine et j'ai ouvert tous les placards. Finalement je me suis fait un croque-monsieur. Normalement, à la maison, c'est un plat du dimanche soir, comme la pizza. Maman dit souvent: «Luttons contre la mélancolie du dimanche soir, faisons-nous de bons croque-monsieur!» J'adore quand elle dit ça. Elle a beaucoup de petites phrases de ce genre. J'aime particulièrement aussi: «Luttons contre la monotonie du Monopoly, allons au cinéma.»

J'ai pensé: luttons contre l'horrible horrible tristesse de ce mercredi soir! Mais je n'ai pas osé faire de croque-monsieur pour papa et elle. Pendant que mon croque-monsieur dorait dans le

four, j'ai senti une grande colère monter en moi.
J'aurais voulu tuer la mort. Je voyais bien, cependant, que si la mort n'existait pas, cela finirait par
poser des problèmes. Des problèmes de surpopulation. Y compris au sein des familles. Nous
n'aurions peut-être pas envie, à Noël, d'inviter
mes mille vingt-quatre arrière-arrière-arrière-
arrière-grands-parents, dont la plupart seraient
sûrement en fauteuil roulant. Et peut-être aussi
qu'au bout de cinq ou six siècles d'existence,
nous finirions tous par nous ennuyer. Mais cette
pensée me mettait encore plus en colère. Parce
que ça voulait dire que la mort était logique et
raisonnable. J'ai répété tout bas : «À mort, la
mort ! À mort, la mort ! » Je suis allé dans la salle
de bains, et j'ai fouillé dans l'armoire à pharmacie. Je me demandais si mes parents avaient des
antidépresseurs et si je ne pouvais pas en prendre
un ou deux. J'avais entendu une dame en parler
à la télévision. Elle disait qu'elle avait retrouvé
la gaieté grâce aux antidépresseurs. Tout à coup,
j'ai vu un médicament qui s'appelait Tristax.
J'ai pensé que c'était sûrement un médicament

contre la tristesse. C'était une vieille boîte un peu abîmée. Il n'y avait pas de mode d'emploi à l'intérieur, mais sur la boîte, il était écrit : un comprimé à sucer toutes les deux heures. J'en ai mis un dans ma bouche, et le reste dans ma poche. Quand le comprimé a eu fini de fondre, je suis allé manger mon croque-monsieur dans ma chambre et j'ai attendu les premiers effets. Je me suis allongé sur mon lit pour mieux me concentrer sur ce qui allait se passer. Au bout de vingt minutes, j'ai ressenti des picotements dans les pieds et dans les mains. Puis ces picotements sont remontés le long de mes bras et de mes jambes, et sont étrangement arrivés à ma tête. Toute la boîte crânienne me picotait, assez fort, mais pas de façon désagréable. J'ai pensé que c'était normal, que c'était à cet endroit précis que le médicament était censé agir. Peu à peu, il m'a semblé que j'étais moins en colère, et moins triste.

Tout en guettant l'évolution des picotements, je surveillais l'heure à mon réveil, pour ne pas oublier de prendre le deuxième comprimé à dix heures et demie. Mais je me suis endormi avant.

Je me rappelle avoir pensé, juste avant de sombrer, alors que j'étais déjà trop engourdi pour faire le moindre mouvement, que ce n'était pas grave, puisque c'était un médicament pour adultes, et qu'il valait donc mieux que je n'en prenne que trois ou quatre fois par jour.

Le lendemain matin, maman m'a réveillé en m'embrassant et m'a raconté que je m'étais endormi tout habillé, avec la lumière allumée, et que c'était à peine si je m'étais aperçu que papa et elle me mettaient au lit. Elle avait les yeux gonflés, mais elle ne pleurait plus. Je n'ai pas osé lui demander si elle était encore très triste.

Après avoir bu mon chocolat, je suis parti à l'école, le Tristax dans ma poche. Je commençais à craindre que ce soit une sorte de somnifère, mais il fallait que j'aille au bout de cette expérience, et j'ai pris mon deuxième comprimé. L'effet a été plus rapide que la veille. Plus fort, aussi. Et j'ai compris que le Tristax n'était pas un somnifère. Au bout de cinq minutes, j'ai ressenti les picotements sur mon front et jusqu'à l'arrière

de la nuque. Et tout à coup j'ai éprouvé une irré-
pressible envie de courir et de sauter, de grimper
aux réverbères et de faire la roue. Mes pieds me
démangeaient, ils avaient des ressorts, et je suis
entré dans la cour en faisant de grands sauts
comme si je franchissais une série de haies.

— Alors, Thomas Cracov, c'est la bonne
humeur, ce matin ? m'a dit M. Boulat, mon ins-
tituteur de l'an dernier.

Je lui ai répondu :

— Mais oui, Biquette !

Je ne savais pas pourquoi j'avais dit ça, c'était
sorti tout seul. Mais ce n'était que le début. Le
mot «biquette» s'est mis à faire des bonds de
cabri dans ma tête. Il fallait qu'il sorte, absolument. Ça y est, me suis-je dit, la folie en moi est
libérée, et en plus, elle a pris la forme d'une chèvre. J'ai salué quelques types de ma classe en leur
disant : «Salut… Biquette !» Ils m'ont regardé
comme ce que j'étais : un dingue. Mais je ne
pouvais rien faire contre cette chose terrible qui
s'était emparée de moi. Je n'ai même pas essayé
de lutter. Être fou me faisait du bien.

Quand Mme Laskine a fait l'appel, j'ai répondu présent, et ajouté, le plus bas possible, «Biquette!», et, comme M. Boulat à l'entrée, elle n'y a pas fait attention. Ensuite, les choses se sont gâtées. Toutes les une minute trente, environ, je disais «Biquette!» et je le disais chaque fois un tout petit peu plus fort. Au bout d'un moment, j'ai entendu derrière moi une voix d'ours répondre: «Poulette!» Chaque fois que je disais: «Biquette!», Romain répondait: «Poulette!» Et peu à peu, nous avons été pris par le fou rire. Les larmes coulaient de mes yeux, je riais à m'en étrangler, et je suis tombé de ma chaise. Mme Laskine a pris les choses calmement et m'a demandé de venir réciter au tableau le poème de Victor Hugo qu'elle nous avait donné à apprendre.

L'aube est moins claire, l'air moins chaud, le ciel moins pur ;
Le soir brumeux ternit les astres de l'azur.
Les longs jours sont passés ; les mois charmants finissent.
Hélas ! voici déjà les arbres qui jaunissent !
Comme le temps s'en va d'un pas précipité !

Il semble que nos yeux, qu'éblouissait l'été,
Ont à peine eu le temps de voir les feuilles vertes.

J'ai pu me contenir pendant toute la première strophe, mais au début de la deuxième...

Pour qui vit comme moi les fenêtres ouvertes... Biquette!
L'automne est triste avec sa bise et son brouillard,
Et l'été qui s'enfuit – Biquette! *– est un ami qui part.*

Mme Laskine, qui me considère plutôt comme un bon élève, m'a regardé d'un air consterné et m'a demandé d'aller l'attendre dans le couloir avec mon troupeau.

À midi moins le quart, nous étions, Romain et moi, dans le bureau de la directrice, Mme Frange, escortés par Jean-François Mariel, le cafteur professionnel de la classe. Il a très bien résumé la situation:

– Lui, il n'arrête pas de dire «biquette», et lui, il n'arrête pas de dire «poulette».

Mme Frange m'a demandé si c'était vrai. Je lui ai répondu:

– Oui… Biquette !

J'avais essayé de me retenir, de toutes mes forces, parce que c'était quand même la directrice – et je ne savais pas ce qu'il y avait après la directrice, la police, peut-être – mais ce «Biquette» là était terrible, il exigeait de bondir hors de ma bouche et je n'ai rien pu faire pour l'arrêter.

Le regard de Mme Frange faisait si peur, que Romain n'a pas dit : «Poulette !» Comme punition, nous avons eu à copier cinquante fois : «Il est extrêmement grossier d'apostropher un adulte en utilisant le nom d'un animal. Je prie mon institutrice et madame la directrice de bien vouloir accepter toutes mes excuses.» À faire signer par nos deux parents.

Il n'a pas pu être question que Romain vienne chez moi. Il était privé de sortie, de dessert et de télévision pour quatre semaines.

Note importante.

Pour les petits malins qui aiment les blagues téléphoniques, je précise :

Que le nom de Mme Laskine est celui d'une vieille dame qui jouait de la harpe, que ma mère a entendue un jour en concert. Personne ne peut plus l'appeler parce qu'elle est morte depuis des années ;

Que la directrice de mon école porte une frange mais ne s'appelle pas Frange.

Que j'ai inventé le nom de Boulat, et si c'est le vrai nom de quelqu'un, je n'y peux rien.

Que Jean-François Mariel s'appelle vraiment Jean-François Mariel, et que je ne m'oppose pas à ce qu'on l'appelle pour lui dire qu'aimer à ce point-là accompagner des élèves chez la directrice, c'est moche.

Chapitre huit
Le secret de la pluie

Il y avait de l'orage, ce jour-là. Il s'était mis à faire tellement sombre, tout à coup, c'était comme si la nuit tombait en plein jour. Le docteur Zblod s'était même levé de son fauteuil pour allumer une lampe. Pendant que je parlais, que je racontais le coup de téléphone, la mort de Frédérique et comment j'avais décidé de prendre du Tristax, le tonnerre n'avait cessé de gronder comme un animal mécontent.

– Un enfant ne doit jamais, jamais prendre seul un médicament, a dit le docteur Zblod.

Je m'attendais à ce qu'il me dise cela. Je m'étais même attendu à pire. Tout en racontant comment j'avais fouillé dans l'armoire à pharmacie, j'avais fait comme s'il s'agissait d'une chose normale, mais plus je parlais, plus je voyais qu'il ne s'agissait pas d'une chose normale. J'avais fait quelque chose de grave. Et à présent, j'avais peur que le docteur Zblod soit en colère contre moi. J'ai répondu :

— Je ne me sens pas tellement un enfant.

C'était une excuse minable. Mais c'était un peu vrai, quand même. Je me sentais vieux, plus vieux que mes parents. J'avais l'impression d'avoir déjà vécu cent ans.

— Que tu ne te sentes pas un enfant, c'est possible, a dit le docteur. Mais si tu dois répondre par oui ou par non à la question : es-tu un enfant ?...

J'ai soupiré :

— Je réponds oui.

J'ai cru qu'un dernier « Biquette » allait sortir de ma bouche après ce oui, mais finalement non. Il est sorti en silence, dans ma tête, comme une bulle de savon qui éclate, et j'ai compris que c'était le dernier. D'ailleurs, je n'avais pas repris de Tristax ce matin-là, ni la veille en me couchant. J'avais envie que les « Biquette » s'arrêtent.

– Tu aurais pu, par exemple, tomber dans le coma.

J'aurais préféré que le docteur ne prononce pas ce mot. Je ne sais pas exactement ce qu'est le coma, mais ça me fait très peur. Une maladie où l'on dort sans pouvoir se réveiller pendant trois semaines, un an, ou parfois cinquante ans, c'est plus effrayant que la mort. J'ai sorti le Tristax de ma poche et le lui ai tendu. Il a examiné le dos de la boîte en fronçant les sourcils, et m'a dit, d'un air extrêmement sérieux :

– C'est un médicament contre les aphtes.

Les aphtes, ces petites blessures bizarres qu'on a parfois dans la bouche, et qui font si mal.

Je n'en revenais pas. J'ai dit :

– Tristax, ça m'a fait penser à tristesse.

Le docteur Zblod m'a rendu la boîte :

– Tu la remettras à sa place.

Puis il m'a expliqué :

– La syllabe «tri» signifie que ce médicament a une triple action. C'est un antiseptique – c'est-à-dire qu'il désinfecte –, il calme la douleur, et il a aussi un effet cicatrisant.

— Alors je ne risquais pas de…

Je ne pouvais pas prononcer le mot.

— De tomber dans le coma ? Avec ce médicament, très honnêtement, non. Mais tu as eu de la chance.

Il a ajouté, en détachant chaque mot :

— Même un médicament que tu connais, dont tu sais à quoi il sert, tu ne dois pas le prendre.

Je n'ai pu m'empêcher d'imaginer, juste un instant, ce qui se serait passé si j'avais pris un médicament qui m'avait fait tomber dans le coma, pour des années. J'aurais dormi, vieilli en dormant. Peut-être que mes parents seraient déjà morts quand je me serais réveillé. Mon esprit a fait un bond en arrière, comme s'il avait reçu une décharge électrique. Oh non ! Je ne voulais pas penser à ça ! C'était trop atroce… Pour ne plus y penser, j'ai regardé le docteur Zblod dans les yeux. Ils étaient sombres et sérieux, et ils avaient l'air d'attendre la suite. J'ai dit :

— C'est bizarre, j'ai eu l'impression que les comprimés me faisaient de l'effet. J'aurais juré qu'ils me faisaient de l'effet.

J'ai raconté au docteur Zblod comment j'avais dit «Biquette» à Mme Laskine, à la directrice, et aussi à mes parents. Mes parents avaient d'abord été surpris, puis, à la longue, un peu agacés, mais quand j'avais dû leur montrer la punition, ils s'étaient assis, effondrés, et m'avaient regardé comme s'ils ne me reconnaissaient pas. Les yeux du docteur Zblod se sont mis à pétiller comme le jour où je lui avais raconté que Nyla mordait les bottes de son mari. Il s'est pincé les lèvres pour s'empêcher de rire, mais c'était trop tard, je l'avais vu. Alors il a souri sans retenue, levé les yeux au plafond pour réfléchir, et m'a dit :

— En médecine, surtout quand on fait de la recherche, on utilise parfois ce qu'on appelle un placebo. Un placebo est un médicament qui ne contient rien, aucun principe actif. C'est comme si on prenait un morceau de sucre ou une dragée. Mais il arrive parfois, et même souvent, que des gens malades aillent mieux, ou même guérissent, en prenant un placebo.

— En prenant un faux médicament ?

– Oui, en prenant des comprimés qui ne contiennent rien de plus que des M&M's.

– Ça veut dire qu'ils étaient malades seulement dans leur tête ?

– Pas forcément. Ils pouvaient être malades en vrai. Mais dans leur tête, il y avait le pouvoir de guérir. À condition qu'ils ne soient pas seuls. À condition qu'un médecin leur donne un médicament en leur disant : « Je crois que vous pouvez guérir. » C'est un peu ce qui t'est arrivé : tu as pris un placebo. Tu croyais que tu prenais un médicament contre la tristesse, mais ce médicament ne pouvait pas, a priori, avoir d'effet sur la tristesse, puisque c'était un médicament contre les aphtes. Pourtant, il a eu une sorte d'effet quand même, donc c'était un placebo qui a un peu marché. Sauf que, dans ton cas, tu as fait le malade et le médecin à la fois – et ça, il ne faut jamais le faire : soit c'est dangereux physiquement, soit ça dérape. Tu es d'accord pour dire que ça a dérapé ?

– Oui, ça a bien dérapé.

– Et après, j'imagine que tu ne savais plus tellement comment faire ?

– Non.

– Tu n'as rien dit à tes parents ?

– Non, je ne l'ai dit qu'à vous.

– Heureusement que tu me l'as dit.

Le docteur Zblod s'est enfoncé davantage dans son fauteuil :

– Reprenons au début, si tu veux bien : pourquoi as-tu pris ce médicament ?

J'ai répondu sans hésiter :

– Parce que je ne voulais plus être triste.

– Oui, a dit le docteur Zblod en souriant, c'est ça la bonne nouvelle : tu en avais assez d'être triste. J'en suis très content. C'est une très bonne chose. Et tu as maintenant la preuve que, dans ta tête, il y avait le pouvoir de chasser la tristesse.

Dehors, il s'était mis à pleuvoir et je ne m'en étais même pas aperçu. Un vent terrible s'est levé soudain, et des rafales de pluie et de grêle ont frappé les vitres. On ne voyait plus les arbres du boulevard. On ne voyait plus rien, dehors. Un crépitement de mitraillettes a envahi le bureau. J'ai pensé que les vitres allaient peut-être exploser. Le docteur Zblod a tourné lentement la tête vers la fenêtre, a haussé les sourcils d'un air admiratif, puis il a attendu que l'orage se calme. Quand le crépitement s'est finalement tu, il a dit :

— Tu as accumulé trop de tristesse à l'intérieur de toi. Tu as pensé très fort et très longtemps à des choses très tristes.

— Oui, ai-je dit.

— Je crois que c'était trop. Je crois qu'il faut que tu apprennes à partager le poids de la tristesse. La mort de Nanouk l'Eskimo, par exemple, est une chose très triste. Sa famille a eu du chagrin, ses amis, ses compagnons. Je pense que son peuple tout entier a eu du chagrin car c'était un chef aimé et respecté. Robert Flaherty a eu du chagrin. Les gens qui ont fait le film avec eux aussi. Et les milliers de gens qui ont vu le film à travers le monde ont éprouvé de la tristesse en apprenant sa mort. Ils ne l'ont pas tous apprise en même temps que toi, mais tous au même instant que toi, au tout début du film. Et à tous, ça leur a fait un choc.

J'ai répété dans ma tête : « Tous au même instant, au tout début du film. »

– Tu ne dois pas garder la tristesse pour toi tout seul, a dit le docteur Zblod.

Il y a eu un long silence. Ma gorge était serrée, elle me faisait mal, et les idées se bousculaient dans ma tête. J'ai regardé par terre jusqu'à ce que ma gorge se desserre un petit peu, et j'ai dit :

– Je crois que je voulais garder des choses pour moi tout seul, parce que Nanouk est très important pour moi.

– Bien sûr, a dit le docteur Zblod. Et tu as raison de le penser. Il y a sûrement des choses très importantes pour toi dans cette histoire, dans les images que tu as vues, et dans l'amitié entre Robert Flaherty et Nanouk. Garde-les pour toi. Elles vont compter pour toute ta vie. Personne ne peut te les prendre.

De la main, il a montré la fenêtre derrière lui.

– Imagine que tu es dehors avec quelqu'un et qu'il pleut. Vous êtes mouillés tous les deux. Vous partagez la pluie. Mais ce ne sont pas les mêmes gouttes de pluie qui t'ont touché toi, et qui ont touché l'autre personne. Tu vois ce que je veux dire ?

J'ai fait oui de la tête. Ma gorge s'était desserrée. Le docteur Zblod avait de la tristesse dans les yeux. Ce n'était pas la première fois que je partageais avec lui le poids de la tristesse, et que je sentais mon cœur s'alléger.

— Est-ce que ton père a vu le film ? a demandé le docteur.

— Non.

— Il me semble que tu devrais le lui montrer.

— J'aimerais bien, je crois.

— Alors propose-lui.

Le docteur s'est levé, je me suis levé aussi. Il m'a tendu la main, et juste avant que je parte, il a dit :

— N'oublie pas : ce qui t'a touché, toi, t'appartient.

Le soir, en me couchant, j'ai pensé au film, dans son boîtier, sous mon lit. J'ai eu l'impression de voir des milliers de fils invisibles qui reliaient le film, sous mon lit, à divers endroits de la Terre. Dans ma tête, les fils sont devenus lumineux, ils scintillaient. Ils allaient jusqu'en Amérique, jusqu'au Japon, jusqu'au Grand Nord. Et pourtant, dans le noir de ma chambre, à quelques centimètres sous ma tête, c'était toujours mon film à moi.

Chapitre neuf
Concentrés

Le lendemain matin, j'ai fini de copier ma punition. Quand j'ai eu terminé, j'avais mal à la main, mais j'ai tout de même écrit une petite lettre à mes parents, que j'ai attachée à la première page avec un trombone. J'avais l'impression qu'il fallait que je m'excuse et aussi que je les rassure, que je leur dise que je n'avais pas complètement changé. Mais je ne pouvais pas leur promettre de ne jamais le refaire, alors j'ai juste terminé en disant : «Je vous embrasse.» J'ai posé les feuilles sur leur lit. Cela faisait trois copies doubles, plus la lettre, il m'a semblé que je méritais qu'on ne me parle plus de cette histoire.

Je suis allé dans la cuisine, mais il n'y avait personne. Mes parents étaient partis au marché.

Sous une étagère, maman avait accroché un petit cadre avec deux photos. Sur la première, on la voyait avec Frédérique. La photo semblait avoir été prise dans une fête, elles portaient toutes les deux un chapeau bizarre et elles riaient aux éclats. La deuxième était une photo de Frédérique adulte, assise à une table de jardin. Les bras croisés devant elle, elle fixait l'objectif, comme si elle s'apprêtait à parler à toute personne qui regardait la photo. J'ai détourné les yeux et je suis retourné dans ma chambre. Le téléphone a sonné, c'était Romain. Il s'est excusé d'appeler un dimanche, très poliment, comme s'il était tombé sur ma mère et pas sur moi. Il profitait de ce que ses parents étaient allés déjeuner chez sa grand-mère. Sans lui, parce qu'il n'avait le droit de sortir que pour aller à l'école. Il m'a fait l'inventaire de tout ce que sa mère lui avait acheté pour son déjeuner, et m'a aussi dit qu'elle lui avait proposé que je vienne goûter un mercredi. Ce ne serait pas enfreindre la punition. J'ai cru comprendre que son père ne serait pas au courant. Je me suis demandé si son père risquait de

me punir, moi aussi, si jamais il rentrait à l'impro-
viste et me découvrait à la maison, en train de
boire tranquillement un Coca dans la chambre
de son fils. Ensuite nous avons parlé de la piscine,
et nous avons décidé, pour le lendemain, d'entrer
les premiers dans le vestiaire et de prendre la
cabine du fond. À cet instant mes parents sont
arrivés et j'ai vu du coin de l'œil ma mère entrer
dans la chambre, puis passer la tête dans le couloir et faire signe à mon père de venir. J'ai fait
une petite prière mentale pour que les excuses
fassent de l'effet, pendant que Romain me parlait d'un stylo formidable qu'il avait acheté la
semaine dernière, un stylo qui glissait tout seul
sur le papier, et qui allait lui faire gagner beaucoup de temps pour sa punition. Puis il a dit:
«Salut, Poulette», j'ai répondu: «Salut, Biquette»,
pas trop fort, et nous avons raccroché.

J'ai compris que j'étais pardonné quand mon
père, en passant près de moi, m'a serré un instant
contre lui en me disant: «Mon garçon.» À la fin
du repas, maman a fait une blague, elle a dit:
«Désolée, Thomas, il n'y a pas de fromage de

chèvre. » Nous avons ri, moi un peu moins fort qu'eux. Et j'ai pensé que c'était tout à fait réglé.

Plus tard, je me suis trouvé seul dans la cuisine avec maman.

— J'ai rendez-vous, cet après-midi, m'a-t-elle dit, je vais voir une vieille amie qui connaissait Frédérique.

Elle m'a montré la première photo, celle avec les chapeaux.

— C'est chez elle que se passait cette fête. Elle s'appelle Valérie. Elle était moins proche de Frédérique que je ne l'ai été, mais elle l'a revue plusieurs fois, parce qu'elle allait en vacances tout près de l'endroit où Frédérique habitait. Elle a même mangé dans son restaurant.

— Frédérique avait un restaurant ?

— Oui, elle tenait un restaurant avec son mari.

J'ai regardé les photos. Ça ne m'était pas désagréable si maman était dans la pièce.

— Pourquoi est-ce que vous portez des chapeaux ?

— Frédérique mettait souvent des chapeaux.

Alors moi aussi je mettais des chapeaux. J'essayais tout le temps de lui ressembler.

— Pourquoi vous ne vous êtes pas revues?

Maman a immédiatement semblé sur le point de pleurer, et j'ai regretté ma question.

— C'était compliqué pour Frédérique de venir à Paris. Elle ne prenait presque jamais de vacances, à cause du restaurant. C'est moi qui aurais dû aller la voir. J'ai été stupide. Je n'y suis pas allée parce qu'elle habitait dans les Alpes, que ton père déteste la montagne et que je n'aime pas voyager sans lui. Je n'y suis pas allée parce que c'était loin. Parce que j'avais peur de ne pas aimer son mari. Parce que j'aurais voulu qu'on se voie seules, comme avant. Chaque année, je me disais: «J'essaierai d'y aller l'année prochaine.» Et quinze ans ont passé, et c'est trop tard.

Elle m'a pris les mains doucement:

— Ne fais pas comme moi, plus tard, avec tes amis. On ne remplace jamais un ami.

J'ai pensé que, si Romain et moi devenions vraiment amis, alors j'espérais qu'il ne se marierait pas trop jeune. Je me suis imaginé prenant le train pour aller le voir à l'autre bout de la France. Peut-être tiendrait-il un restaurant, comme Frédérique, puisqu'il aimait beaucoup manger. Et peut-être aussi aurait-il un troupeau de moutons. On se dirait : « Salut, Poulette », « Salut, Biquette », et ça nous ferait bien rigoler. Je l'aiderais à rentrer ses bêtes. Ensuite, on mangerait de la tartiflette dans son restaurant, et je lui dirais : « Je t'ai apporté une édition collector de *Nanouk l'Eskimo*. »

— Je m'en souviendrai, ai-je dit.

Maman m'a embrassé. Puis elle m'a regardé, l'air un peu gêné.

— Je sais que tu n'aimes pas tellement en parler, mais dis-moi juste si tu es toujours content d'aller chez le docteur Zblod.

— Oui, ai-je répondu. Et je crois que bientôt je vais arrêter d'y aller.

Pourquoi avais-je dit cela ? C'était sorti tout seul. J'ai vite ajouté :

— Mais pas tout de suite.

— Tu ne fais plus de cauchemars ?

– Presque plus.

– Je suis contente. C'est vrai que tu as meilleure mine.

Elle nous a dit au revoir à papa et moi, elle s'est recoiffée devant le miroir de l'entrée et, juste avant de partir, elle a pris la photo de Frédérique et elle, et l'a mise dans son sac. Elle avait l'air d'avoir le trac, alors nous lui avons fait au revoir dans l'escalier.

Pourquoi avais-je dit que j'allais arrêter d'aller chez le docteur Zblod ? L'idée que je pourrais ne plus le voir m'a serré le cœur. Je voulais continuer encore et encore, de venir m'asseoir dans le fauteuil bleu, et d'avoir de bonnes conversations avec lui. Pourtant je sentais bien que je n'allais pas faire cela toute ma vie. Mais il fallait que je trouve quelque chose, là, tout de suite, pour me consoler de cette idée. J'ai pris une grande inspiration et j'ai dit à mon père :

– Papa, j'aimerais bien te montrer *Nanouk l'Eskimo*.

Je pensais qu'il allait répondre quelque chose

comme: «Oui, pourquoi pas. Le week-end prochain, peut-être...»

Mais parfois mon père est étrange. Il s'est figé dans la position où il était, debout, au milieu du couloir, les yeux fixés sur un coin du parquet, comme si, au lieu de lui poser une question, j'avais appuyé sur un bouton «arrêt sur image». Et tout à coup, il s'est réveillé et a dit:

– Oui, on le regarde maintenant?

J'ai couru à toute vitesse dans ma chambre et j'ai pris le film sous mon lit. Quand je suis revenu au salon, mon père était déjà assis dans le canapé, les mains posées sur les genoux. J'ai fermé le rideau pour qu'il n'y ait pas de reflet sur l'écran et j'ai glissé le film dans le lecteur. Mes mains tremblaient un peu.

– Mets le son bien fort, a dit mon père. Dans mon souvenir, la musique est très belle.

Je me suis assis près de lui, mais par terre, parce qu'il n'y a que par terre que je suis bien concentré.

Chapitre 10
Les fantômes du docteur Zblod

— Mon père a adoré le film, ai-je dit au docteur Zblod. Nous avons même regardé les bonus et lu le texte dans le boîtier, celui où Robert Flaherty explique qu'il a dû demander aux Eskimos de maintenir un trou creusé dans plusieurs mètres de glace pendant tout l'hiver, afin d'avoir de l'eau pour laver la pellicule, qui était pleine de poils de caribou. Ils transportaient vite l'eau en traîneau jusqu'à sa cabane, enlevaient la glace qui s'était déjà formée et lavaient le film.

Le docteur Zblod souriait. Il avait l'air très détendu, un peu comme s'il était en vacances. J'ai ajouté :

— J'ai senti que mon père avait beaucoup d'admiration pour les Eskimos, et pour Robert Flaherty.

– Et pour Nanouk…

– Pour Nanouk, énormément. Et il était un peu triste. J'ai vu qu'il avait un choc, lui aussi, au tout début du film.

– Et toi aussi, tu étais triste?

– Oui, mais pas comme d'habitude.

– Comment, alors?

– J'étais triste normalement. J'ai honte de dire ça. On ne peut pas être triste normalement.

– Ah bon? Pourquoi?

Parfois le docteur Zblod prenait un air exagérément étonné. Un faux air de surprise. Il savait que je savais qu'il faisait semblant. Je crois que c'était une façon polie de me dire qu'il n'était pas du tout d'accord avec moi.

– Parce que «tristesse» et «normal» sont des mots qui ne vont pas ensemble. C'est comme si c'était insultant pour les choses tristes.

– Je ne crois pas du tout que ce soit insultant pour les choses tristes, dit le docteur Zblod. Tu te souviens, il y a longtemps, tu pensais que tu étais obligé de faire revenir ton cauchemar parce que, sinon, personne d'autre ne penserait à

Nanouk et qu'il serait abandonné. Et je t'ai montré que beaucoup d'autres personnes avaient pensé ou pensaient encore à lui. C'est un peu la même chose, quand tu dis que la tristesse n'a pas le droit d'être normale. Mais par exemple, quand quelqu'un est mort depuis longtemps, c'est normal d'être beaucoup moins triste. Ce n'est pas insultant, ce n'est pas l'abandonner. Et c'est très bien, il me semble, d'éprouver parfois un peu de tristesse normale. Ouf, pas toujours de la tristesse immense, pas toujours de la tristesse affreuse, mais de temps en temps, juste un peu de tristesse normale !

Je me suis dit qu'il avait raison. Et d'ailleurs, je m'étais aperçu que la tristesse normale était une chose presque agréable.

Je ne faisais plus de cauchemars éveillés. Ils ne s'emparaient plus jamais de moi. Le cauchemar de la mort de Nanouk, j'avais essayé de le faire revenir, pour voir, mais je n'arrivais plus à l'attraper. Je pouvais en retrouver certaines images, mais elles ne me plongeaient plus dans cette sorte d'état d'hypnose qui me saisissait avant. Je n'étais plus jamais paralysé. La tristesse était devenue lointaine. Quand je la ressentais, je lui faisais comme une caresse. Je pensais : « C'est triste que Nanouk soit mort. » Et je ne cherchais pas à m'approcher plus près. Je ne voulais plus avancer dans cette eau jusqu'à ne plus avoir pied. Je ne voulais plus boire la tasse.

J'ai dit au docteur Zblod :

— Je crois que j'ai fait un peu exprès de boire la tasse.

Je lui avais déjà expliqué cette image que j'avais de la tristesse, comme une mer dans laquelle je m'enfonçais en marchant.

— Oui, m'a-t-il dit. Est-ce que tu sais pourquoi tu voulais boire la tasse ?

— Pour voir quel effet ça faisait. Et aussi, pour ne pas que la mer me prenne par surprise.

— Mmmh, a fait le docteur Zblod, personne n'aime être pris par surprise. Mais pourquoi voulais-tu savoir quel effet cela faisait de boire la tasse ?

Depuis que mes cauchemars s'étaient arrêtés,

c'était une question à laquelle j'avais beaucoup réfléchi, le soir, avant de m'endormir, alors j'avais la réponse.

– Parce que je sentais que c'était quelque chose de terrible, et j'avais peur. J'avais peur que ce soit terrible au-delà de mon imagination. J'avais peur que ça me rende fou. Il fallait que je sache, que je vérifie.

– Oui, oui, a dit le docteur Zblod en hochant plusieurs fois la tête, l'air plutôt excité. Tu voulais vérifier.

Il s'est enfoui le visage dans les mains et il est resté comme ça un instant. Puis, brusquement, il a relevé la tête.

– J'ai eu terriblement peur du noir, m'a-t-il dit, pendant de très longues années. Et un jour, j'avais environ quatorze ans, je me suis trouvé seul dans une grande maison à la campagne, pour vingt-quatre heures. C'était une très vieille maison, dont les meubles, les murs, le plancher craquaient tout le temps. Quand le soir est arrivé, j'ai commencé à avoir peur. J'ai allumé toutes les lumières au rez-de-chaussée et à l'étage. J'ai allumé la télévision et j'ai aussi mis de la musique. Vers minuit, j'avais sommeil mais je craignais d'aller me coucher, alors j'ai commencé à jouer aux dés devant la télévision. Il y a eu un orage, la foudre est tombée tout près de la maison, et le courant a été instantanément coupé. J'étais soudain dans le noir complet, entouré de silence. J'étais debout, un dé à la main, mais je ne pouvais pas voir ma main. Et la peur a commencé à m'envahir. Je n'osais pas faire le moindre mouvement. J'avais l'impression que le noir était en train de pénétrer en moi, de me dévorer. Même le bruit de ma propre respiration me terrifiait. Je savais que dans la cuisine il y avait des bougies et des allumettes. Mais la cuisine était au bout d'un très long couloir. Et ce couloir était si inquiétant que même en plein jour je n'aimais pas m'y trouver. J'ai pensé que je n'avais pas le choix, qu'il fallait que je bouge, parce que c'était insupportable de rester debout au milieu du noir, à attendre que le noir m'absorbe, ou que les fantômes de la maison viennent m'attaquer. Pour me donner du courage, je me suis dit que c'était l'occasion d'essayer de vaincre ma peur, et de vérifier : de vérifier que je pouvais traverser ce couloir sans qu'un fantôme, par exemple, vienne soudain m'agripper les épaules. J'ai recommencé à bouger, tout doucement. Le dé que j'avais dans la main était une preuve que la réalité d'avant n'avait pas disparu et que la lumière pouvait revenir, alors je le serrais de toutes mes forces. J'ai commencé à marcher vers le couloir, en tâtonnant de l'autre main pour me repérer. Et j'ai traversé le couloir.

— Vous aviez peur ?

— Affreusement. L'un des moments les pires a été quand j'ai enfin atteint le tiroir où se trouvaient les bougies et les allumettes. J'ai pensé que tous les fantômes du couloir allaient se jeter sur moi d'un coup, comme pour se venger. Ce soir-là, j'ai vraiment bu la tasse. J'ai cru, plusieurs fois, que la peur allait me noyer.

— Mais il n'y avait pas de fantômes ?

— Non, a dit le docteur Zblod en secouant lentement la tête. Aucun fantôme.

— Et après, vous avez encore eu peur du noir ?

Cela me faisait tout drôle de lui poser des questions. Je n'avais pas envie que ça dure trop longtemps, je préférais que ce soit lui qui me pose des questions, mais j'avais très envie de savoir.

— Oui, j'ai encore eu peur du noir après, mais ce n'était plus une peur incontrôlable.

— C'est à cause de ça que vous êtes devenu un spécialiste des angoisses?

— Oui, c'est aussi à cause de ça. Une partie de moi pensait que les fantômes n'existent pas. Mais dans le noir, une autre partie de moi croyait aux fantômes, et je voulais comprendre pourquoi.

Il y a eu un silence, et nos regards se sont croisés.

— Je trouve que tu as été plus courageux que moi, a dit le docteur. Tu as voulu penser au chagrin et à la mort. Tu as voulu savoir si la mort dépassait ton imagination, si elle dépassait la force de ta pensée. Les fantômes n'existent pas, la mort si. Et elle dépasse l'imagination de presque tout le monde.

– Je crois qu'elle a dépassé la mienne, ai-je dit.

– Bien sûr, mais pas tout le temps. Tu as vérifié que la mort était infiniment inquiétante et triste. Tu as aussi vérifié que tu pouvais y penser sans devenir fou.

– Je n'étais pas fou ?

– Pas du tout.

En fait, je connaissais la réponse à cette question, mais je voulais en être certain.

Cette fois-là, juste avant que je parte, le docteur Zblod m'a dit :

– À partir de maintenant, je vais te demander, chaque fois, si tu es sûr de vouloir revenir samedi prochain. S'il y a encore des choses dont tu souhaites que nous parlions, ou si tu trouves que ce n'est plus la peine.

J'ai réfléchi et j'ai répondu :

– Pour samedi prochain, je suis sûr.

J'avais encore quelques idées derrière la tête.

Chapitre onze
La fin du film

La fin de *Nanouk l'Eskimo* est la fin de film la plus étrange que je connaisse, parce que tout le monde s'endort, et c'est la fin.

Ce jour-là, Nanouk et sa famille ont perdu beaucoup de temps à cause des chiens qui se sont battus. Le blizzard se lève, il faut vite trouver un abri pour la nuit, l'igloo de la nuit précédente est trop loin pour y retourner.

Par chance, ils aperçoivent un igloo abandonné. C'est là qu'ils vont dormir. Ils se dépêchent de se mettre à l'abri, le vent souffle de plus en plus fort, la température chute, et on n'y voit plus rien.

Tout le monde se prépare pour la nuit. Nanouk fabrique une niche confortable pour les chiots, à l'intérieur de l'igloo. Puis ils installent les peaux de caribou, enlèvent leurs manteaux et se couchent avec les enfants.

J'imagine Robert Flaherty disant : «Et maintenant, vous dormez.» Parce que c'est ça qui s'est passé, sûrement. Mais quand on voit le film, on ne pense pas à Robert Flaherty, on ne pense même pas qu'il y a une caméra qui filme. On voit juste des gens s'endormir. Comme si, par magie, on était une petite souris transportée à des milliers de kilomètres dans un igloo, au moment où ses habitants s'endorment.

On croit qu'ils dorment vraiment. Et même, ils semblent dormir si profondément qu'on a un tout petit peu peur qu'ils ne se réveillent plus.

Ensuite, on voit les chiens, dehors. Eux ne dorment pas encore. Ils luttent contre le froid, contre la neige qui les recouvre. Certains hurlent à la mort contre le blizzard. Ils sont seuls dans l'immensité et la nuit polaire. Personne n'est plus seul qu'eux. Et pourtant, ils vivent et dorment, et font des rêves.

Je me demande toujours s'ils ont peur de

s'endormir, peur que l'aube ne revienne jamais, que ce soit pour toujours la nuit et la tempête. Je voudrais pouvoir leur dire : «Demain le soleil se lèvera à nouveau, et vous vous réveillerez.» Mais je ne peux rien leur dire parce que cette nuit-là a eu lieu en 1920 et qu'elle est terminée pour toujours. Je vois juste le sommeil les prendre. Ils se couchent dans la neige et c'est la fin du film.

Chapitre douze
Comme les étoiles

Je pensais que j'allais parler au docteur Zblod des photos de Frédérique dans la cuisine. Lui dire qu'elles me faisaient peur, et lui demander pourquoi elles me faisaient peur. Mais ce n'est pas cette question-là qui est sortie de ma bouche.

– En fait, je ne comprends pas ce qui s'est passé, ai-je dit. Pourquoi ça m'a fait cet effet-là, la première fois que j'ai vu le film. Pourquoi j'ai fait ces cauchemars éveillés.

Le docteur Zblod s'est passé la main sur le visage et ça a fait scratch scratch, parce qu'il avait décidé de se laisser pousser la barbe. Ses poils de barbe étaient très noirs et poussaient dans tous les sens. Du milieu du cou jusqu'en haut des joues, on aurait dit un hérisson. J'avais failli éclater de rire quand il m'avait ouvert la porte, mais je m'étais retenu. Je n'aimais pas tellement qu'il ait pris cette décision, je le préférais sans barbe. Mais par politesse, je n'avais pas fait de remarque.

– Je crois que j'ai une explication, a-t-il dit. Une partie de l'explication.

Il a regardé un moment le plafond, puis a dit:

– Les films anciens, comme les photos anciennes, sont la preuve que les gens ont existé. Les gens qui ont été filmés. Mais ils sont aussi la preuve qu'ils sont morts, puisque c'était il y a très longtemps.

J'ai réfléchi, et tout à coup je me suis souvenu de quelque chose:

– Il y a un disque que mon père écoute souvent, c'est un opéra qui s'appelle *Pelléas et Mélisande*, et qui a été enregistré en public. Quand mon père met ce disque, chaque fois que l'orchestre s'arrête de jouer, on entend des gens tousser parmi les spectateurs. Il y a surtout un monsieur qui tousse très fort. Et mon père dit toujours: «En 1947, ce jour-là, cet homme toussait. On ne sait pas qui était cet homme, on ne le saura jamais, et pourtant, on l'entend tousser. »

— Oui, c'est la même chose, a dit le docteur Zblod. Et si ce monsieur avait cinquante ou soixante ans cette année-là, il est sûrement mort depuis longtemps.

— Et on ne sait pas quel métier il faisait ni où il habitait, mais on l'entend tousser.

— Oui, et chaque fois que vous mettez ce disque, vous avez la preuve de l'existence de cet homme inconnu.

— Oui, on entendra toujours cet homme tousser.

— Il y a des gens qui, en écoutant ce disque, ne remarqueraient même pas la toux de cet homme. Mais ton père et toi, vous l'entendez, et vous y réfléchissez. Ça veut dire que vous vous intéressez aux mêmes choses.

— Ça fait réfléchir, et aussi ça donne des rêves, dis-je.

— Oui, ça fait travailler l'imagination, a dit le docteur Zblod. Ce qui était différent pour toi, ce qui était plus fort, quand tu as vu *Nanouk l'Eskimo* pour la première fois, c'est que, contrairement à l'homme qui tousse, Nanouk n'était pas tout à fait un inconnu, puisque tu voyais son visage, et que tu le voyais bouger. Ce qui était différent, aussi, c'est que Nanouk est mort jeune, et d'une façon particulièrement triste. Je trouve ça normal que ça t'ait fait un tel choc.

– Mais quand j'ai lu qu'il était mort, je n'avais pas encore vu Nanouk. C'est après qu'il apparaît dans le film.

– Mais tu savais qu'il était le héros du film. Et tu avais vu l'affiche, donc tu connaissais son visage ! Et sa mort est très particulière. Et ton imagination travaille vite, comme celle de ton père. N'oublie pas, les choses font toujours plus d'effet quand on a l'imagination qui travaille vite.

Le docteur Zblod s'est à nouveau passé la main sur le visage, et le petit scratch scratch de sa barbe a résonné dans le silence.

– Sais-tu comment se fabrique une photo ? m'a-t-il demandé.

Je ne savais pas. Alors il m'a expliqué.

— C'est un phénomène chimique. Ça semble compliqué mais, en fait, c'est assez simple. À la fin du XIXᵉ siècle, on a découvert qu'une surface, si elle était recouverte d'un certain produit, en l'occurrence du chlorure d'argent, devenait très sensible à la lumière. Quand on exposait cette surface à la lumière, elle noircissait plus ou moins fort, par endroits, et cela donnait une image. Et cette image était le reflet de la réalité, comme dans un miroir. Alors on a commencé à photographier des endroits et des gens. Les premiers appareils photo étaient des sortes de boîtes, dont le fond était une surface très sensible à la lumière. En face de cette surface, il y avait une petite ouverture masquée. Et quand on découvrait cette ouverture, la lumière venait frapper la surface sensible et imprimer une image. Les appareils photo de maintenant ne sont pas si différents.

Le docteur Zblod m'a regardé et a placé ses mains de manière à dessiner un carré devant son visage, comme s'il me prenait en photo.

— Quand on prend la photo d'une personne,

la lumière du jour est reflétée par cette personne et vient s'imprimer dans le fond de la boîte.

— La lumière rebondit?

— Oui, elle rebondit sur la personne, et elle est capturée par la surface sensible. Donc, quand on regarde la photo d'une personne, ce qu'on voit, même des années et des années après, ce sont les rayons lumineux renvoyés par cette personne, à l'instant où la photo a été prise.

Tout à coup, j'ai pensé à la photo de Nanouk, la première que j'avais vue, celle sur le boîtier du film. Je me suis souvenu des paupières toutes blanches et brillantes de Nanouk, parce qu'elles avaient attrapé la lumière.

— Tu sais que quand on regarde une étoile, a poursuivi le docteur Zblod, sa lumière met des milliers d'années à nous parvenir.

— Oui, il paraît même que certaines étoiles sont tellement loin, et que leur lumière met tellement de temps à nous parvenir, qu'elles sont déjà mortes depuis longtemps alors qu'on les regarde.

Le docteur Zblod a fait oui de la tête, et a ajouté :

— Parfois, les personnes photographiées sont comme les étoiles. Et tant qu'on peut conserver la photo, la lumière qu'elles ont renvoyée continue de nous parvenir.

— En vrai, ai-je dit.

— Oui, en vrai, a répondu le docteur Zblod. Ce n'est pas de l'imagination, c'est de la chimie.

Il y a eu un long silence. Et tout à coup, dans ma tête, j'ai compris ce que je ressentais quand je regardais les photos de Frédérique dans la cuisine. Et je me suis dit que, maintenant, elles ne me feraient plus peur.

Épilogue

La dernière fois que je suis entré dans le bureau du docteur Zblod, je n'étais pas triste. J'avais cru que je le serais, mais peut-être y avais-je tellement pensé que je ne l'étais plus. En tout cas, au moment où je lui ai dit bonjour, un autre événement a pris toute la place : il s'était rasé la barbe. Cela m'a rendu joyeux.

– Vous vous êtes rasé la barbe.

Je savais que ça ne se faisait pas, mais il me semblait que, puisque c'était la dernière fois, j'avais droit à un peu de familiarité.

– Oui, a-t-il répondu en soupirant. Chaque année, à la même période, j'ai envie de me laisser pousser la barbe. Et chaque fois, au bout de dix ou quinze jours, j'en ai assez et je la rase. Je suppose que l'année prochaine, je recommencerai. Et les premiers jours, comme d'habitude, je penserai : «Cette fois, je vais vraiment la garder.»

— Je vous aime mieux sans la barbe.

Je n'ai pas osé lui dire que j'étais heureux de le voir sans barbe pour la dernière fois.

Il ne fallait pas trop que je me répète ces mots : dernière fois. J'avais peur qu'ils finissent par me donner le cafard. Après tout, le docteur Zblod n'allait pas cesser d'exister. Et je savais que je pourrais revenir le voir si j'avais des problèmes. Mais là, je sentais que je n'avais pas envie d'avoir de problèmes. Et j'étais content de ne plus avoir de rendez-vous le samedi. Je lui ai parlé de Romain.

— Ah bon, il a une voix d'ours? a demandé le docteur.

— Oui, un peu.

— Tu m'avais bien dit que Nanouk veut dire «l'ours»?

— Oui.

— Peut-être que tu aimes bien avoir un ours dans ta vie.

Cette idée m'a plu. J'ai décidé que désormais j'aurais toujours un ours dans ma vie.

– Est-ce que tu veux que je te rende ta photo de Nanouk?

Non, je n'avais pas du tout envie qu'il me la rende.

– J'aimerais bien que vous la gardiez.

– Tant mieux, ça me fait plaisir de la garder. Je penserai de temps en temps à lui, et chaque fois que je penserai à lui, je penserai à toi.

J'ai passé les paumes de mes mains sur les accoudoirs en bois lisse, pour bien me souvenir, plus tard, de mon fauteuil. J'ai regardé son fauteuil à lui, pour m'en souvenir aussi. Puis j'ai regardé par la fenêtre, les branches des arbres qui cachaient le boulevard. J'ai entendu les voitures démarrer au feu. Il était déjà l'heure que je m'en aille.

Dans le couloir, près de la porte d'entrée, nous nous sommes serré la main. Je l'ai regardé bien dans les yeux. Et j'ai dit:

– Au revoir, docteur.

Et je suis parti.

En bas de l'escalier, je me suis mis à courir parce que j'avais beaucoup de choses à faire.

Tia mak
(la fin)

Note de l'auteur

De nos jours, le mot « Eskimo » n'est presque plus employé.

Les habitants des régions arctiques s'appellent les Inuits et leur langue principale est l'inuktitut. En inuktitut, « Inuit » veut dire « les hommes », « les gens ».

(Tout le monde connaît au moins un mot en inuktitut : le mot « kayak ».)

Les Inuits vivent dans le nord du Canada, à l'est de la Sibérie et à l'ouest du Groenland. Depuis cinquante ans, leur vie a énormément changé. Ils n'ont plus de traîneaux à chiens mais des motoneiges. Beaucoup sont restés des chasseurs, et certains savent encore construire un igloo.

Au début du XXᵉ siècle, on n'employait pas le mot « Inuit ».

Le titre original du film de Robert Flaherty est Nanook of the North, *en français il a été traduit par* Nanouk l'Esquimau.

(Les deux orthographes « Esquimau » et « Eskimo » existent. J'ai choisi la seconde car je la trouve plus jolie. La première, je l'utilise pour parler des glaces.)

Le film existe toujours. J'aimerais avoir su, dans ce livre, exprimer ne serait-ce qu'une partie de l'admiration et de la gratitude que j'ai éprouvées en le regardant.

Le chapitre douze, « Comme les étoiles », doit beaucoup à un livre de Roland Barthes sur la photographie : La Chambre claire.

Pour aller plus loin avec ce livre

www.ecoledesmax.com

le site de votre abonnement